PEASAIR A THEICH

Dhan Bh-uas Pheasair agus na ceithir peasraichean beaga againn – K.P.

Dhan dà pheasair bhig agam, Dara agus Walter – A.W.

A' chiad fhoillseachadh sa Bheurla 2019 le Simon & Schuster
A' chiad Ìar, 222 Rathad Gray's Inn, Lunnainn, WC1X 8HB Companaidh CBS

10 9 8 7 6 5 4 3 2 1

A' chiad fhoillseachadh sa Ghàidhlig ann an 2020 le Acair, An Tosgan, Rathad Shìophoirt, Steòrnabhagh, Eilean Leòdhais HS1 2SD

info@acairbooks.com www.acairbooks.com

An tionndadh Gàidhlig le Mòrag Anna NicNèill
An dealbhachadh sa Ghàidhlig le Mairead Anna NicLeòid

Tha Acair a' faighinn taic bho Bhòrd na Gàidhlig.

Gheibhear clàr catalog CIP airson an leabhair seo ann an Leabharlann Bhreatainn.

Clò-bhuailte ann an Sìona LAGE/ISBN 978-1-78907-074-3

OSCR
Scottish Charity Regulator
www.oscr.org.uk
Registered Charity
SC047866

Riaghladair Carthannas na h-Alba

Carthannas Clàraichte/
Registered Charity SC047866

PEASAIR A THEICH
Kjartan Poskitt agus Alex Willmore
acair

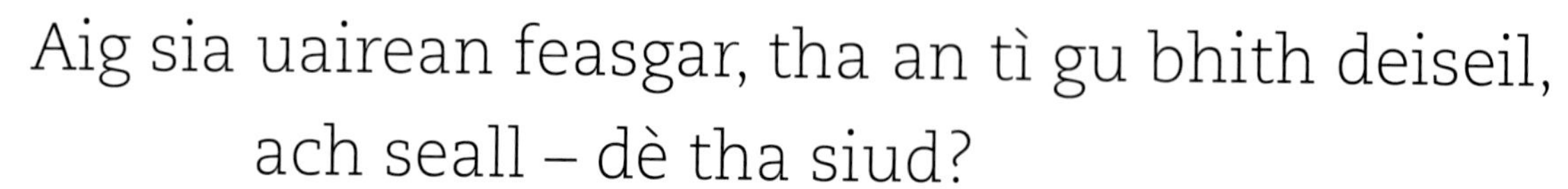

Aig sia uairean feasgar, tha an tì gu bhith deiseil,
ach seall – dè tha siud?

Tha **PEASAIR A' TEICHE!**

Bhon truinnsear ghrad-leum i le spionnadh bha bras . . .

. . . agus an uair sin dhan t-sabhs
gun do shlaighd i le
SPLAIS!

Bha na currain 's gach pònair ri mireadh 's ri magadh –
"A pheasair bheag bhìodach, cha deach thu ro fhada."

"Cha do thòisich mi fhathast!"
gun do fhreagair a' pheasair.

"Ged a tha mi car beag
is caomh leam a bhith
cleasachd."

A-mach gun do ghabh i le sìnteag 's le roid . . .

. . . ach a bhobhla a’ choin gun do thuit i le

PLOB!

A pheasair bheag, suas leat! Dìrich suas air an taobh –
GREAS ORT IS DÈAN CABHAG mus fhosgail Boris a chraos!

Leum a' pheasair a theich an-àird is a-null
is cha mhòr nach do bhuail i air Boris mun t-sùil!

Siud i seachad air Boris le dealas is sunnd
ach chuir earball a' choin i . . .

le **PLUB** dhan a' bhùrn!

"CÀIT A BHEIL MI?" ars ise, bha cràdh mòr na ceann . . .

"A-mach às mo thanca!"
thuirt Adele rithe le STEALL!

Siud i sìos dhan trap lucha, a dhùin gu luath is le BRAG..

Mus do thuit i air lìon a sgaoil le SRANN mòr a-mach!

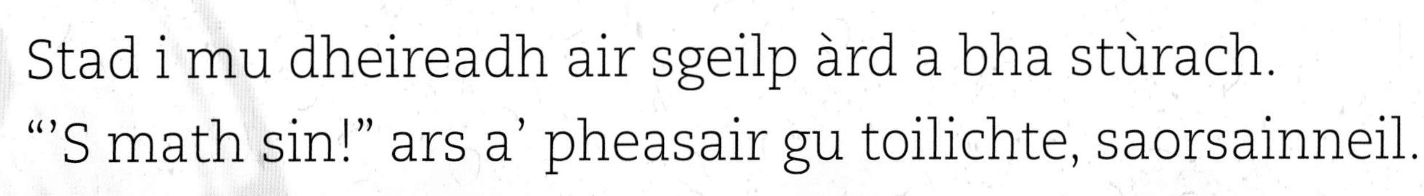

Stad i mu dheireadh air sgeilp àrd a bha stùrach.
"'S math sin!" ars a' pheasair gu toilichte, saorsainneil.

"Is cinnteach nach urrainn
an còrr a dhol ceàrr dhomh?"

Ach chaidh a sèideadh air falbh leis
an fhuaradair àile.

Ach dè an rud orains tha a' deàrrsadh shìos fodham?
Sin tostair an arain, mo chreach is . . .

A-steach gun do ghabh i,
gun chomas air stad,

an sin leum tostair an arain gu làidir le
BRAG!

"AOBH!

Mo thòn! Tha i loisgte!"

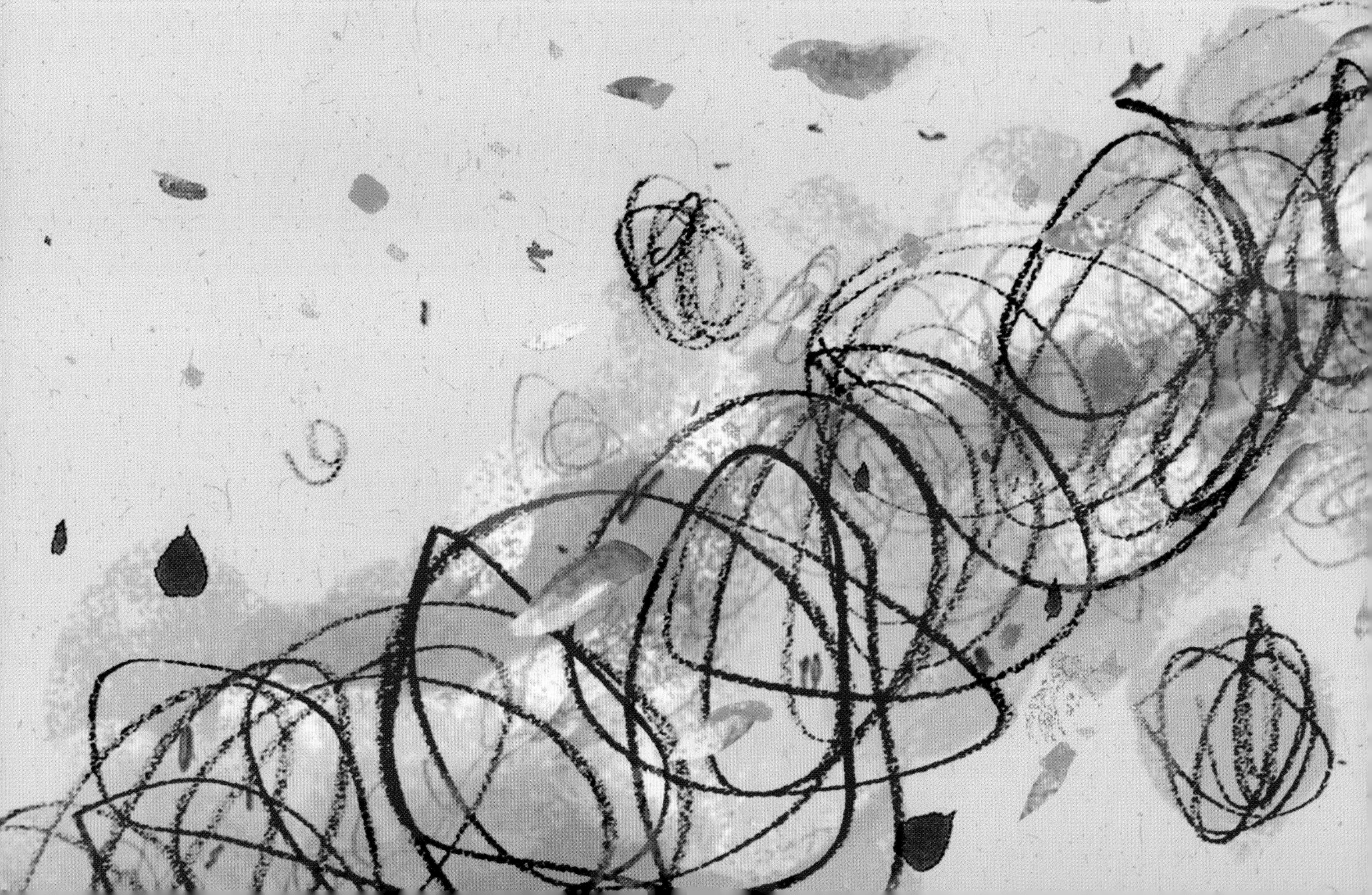

Bha a' pheasair a' bùirich…

mus do thuit i le slaic dhan an tioramadair aodaich.

Ga luasgadh, ga crathadh mun cuairt is ga bruthadh,

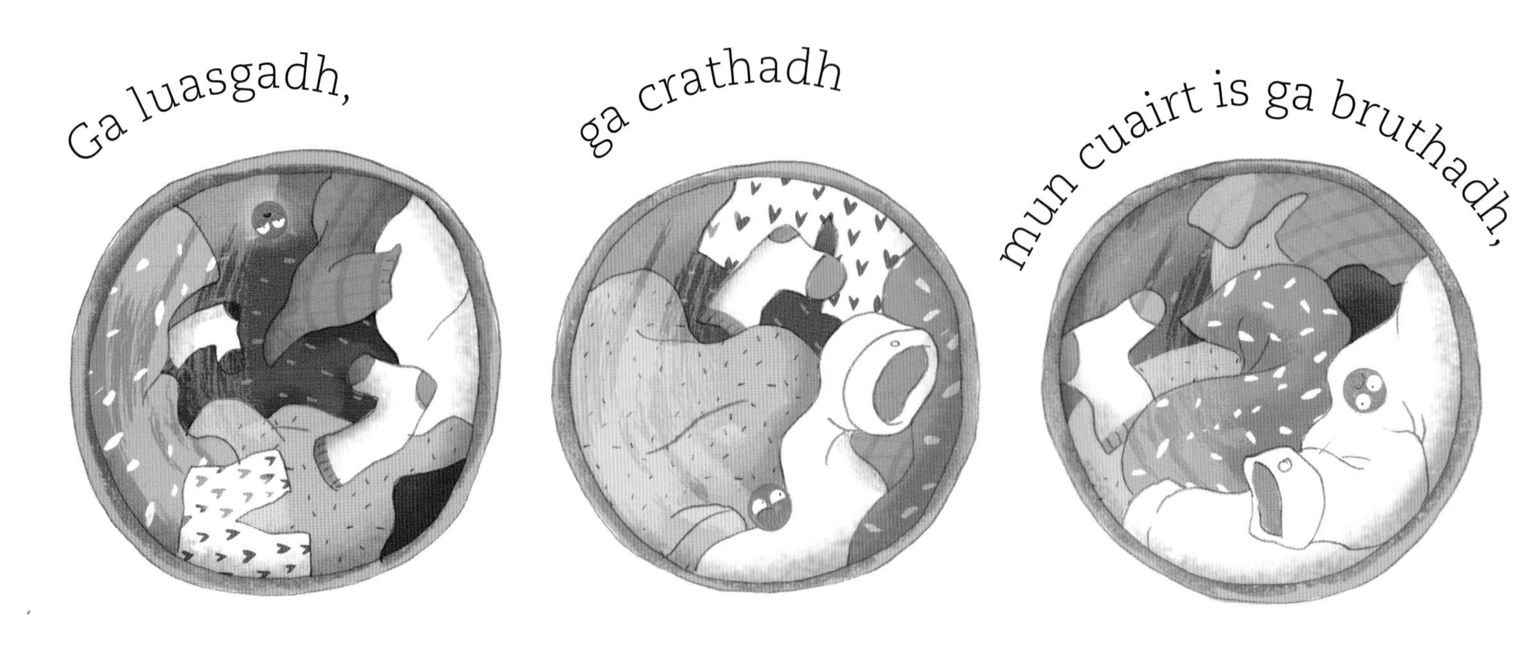

nuair a fhuair i a-mach bha i sona le faochadh.

Thuit i air lèine a bh’ air
a glanadh gu grinn . . .

AN AIRE ORT, a pheasair, no thèid do phronnadh le cinnt!

Car a' mhuiltein no dhà gun do rinn i gu grad . . .

. . . dhan toll dhubh fon a' frids is cha b' urrainn dhi stad..

Ro sgìth airson gluasad, 's ann a thòisich i caoineadh . . .
b' ann an uair sin a thuig i nach robh i na h-aonar.

A-mach às an dubhar thàinig cumaidhean dìomhair –
dà fhìon-dhearc bha fuaraidh is banana bh' air crìonadh.
"Mo chreach," ars a' pheasair. "Ach dè thàinig oirbh?"

"Bha sinn crosta," thuirt iadsan.
"Is theich sinne sinn fhèin.

"Chan eil e ro mhath," thuirt iad le osnaidhean cràiteach.
"Bidh tu sean is làn phreasan is asad thig fàileadh."

"Chan fhalbh mi a-nis idir," thuirt a' pheasair bh' air teiche.
"Chun an truinnseir gun till mi, 's airson na tì bidh mi deiseil."

"Cha till!" thuirt na fìon-dhearcan,
"Bha thu shìos air an làr.
A pheasair a theich, cha bhi meas
ort gu bràth."

Chlisg a' pheasair bheag bhochd. B' e an fhìrinn a bh' aca.
Cha robh àite a-nis ann dhi, 's bhiodh a beatha mì-thlachdmhor.

Gun chomas, gun chothrom, is a' faireachdainn tùrsach,
rinn i mèaran mòr, sgairteil is dhùin i a sùilean.

Ach thachair rud iongantach fhad 's a bha i na cadal . . .

. . . nach do dhùisg i aig dùn an
ath-chuartachaidh sgudail.

Bha an ùir cho bog, socair, is an aimsir cho àlainn,
agus thòisich a' pheasair a' faireachdainn àraid.

Fon talamh bha freumhan gu sunndach a' fàs,
is bho mhullach a cinn, bha rud ùr tighinn am bàrr!

Bha builgeanan beaga a’ nochdadh gu mear,
le peasraichean beothail gu leòr anns gach fear!

Nis ma chluinneas tu PLOB
no PLUB air neo BRAG,

no SPLAIS anns an t-sinc,

no RÀN bhon a' chat,

no GLAGADAICH GHLIONGACH a' tighinn bhon a' phreasa . . .

BI CIÙIN!

Chan eil ann ach na peasraich a' teiche.

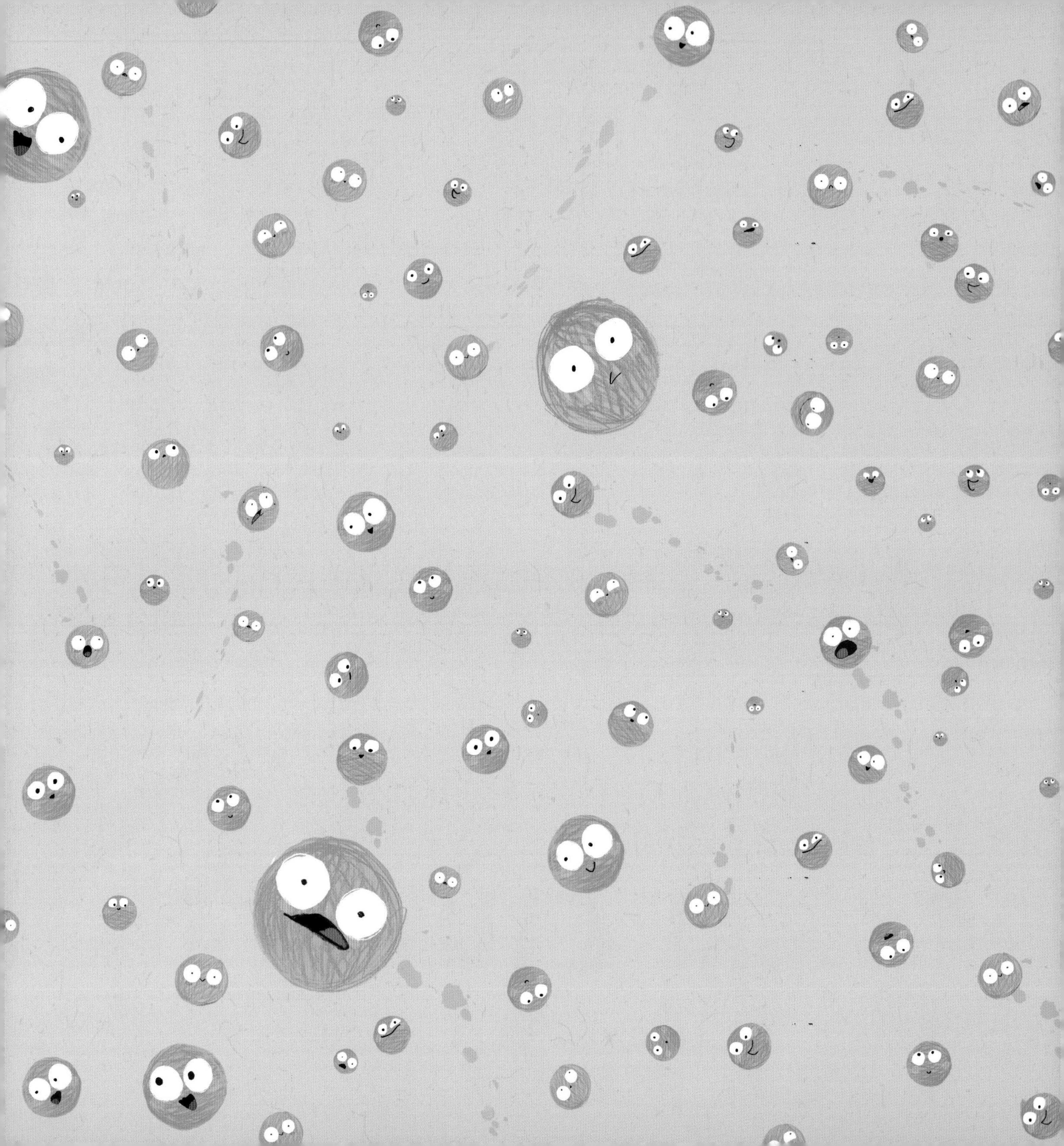

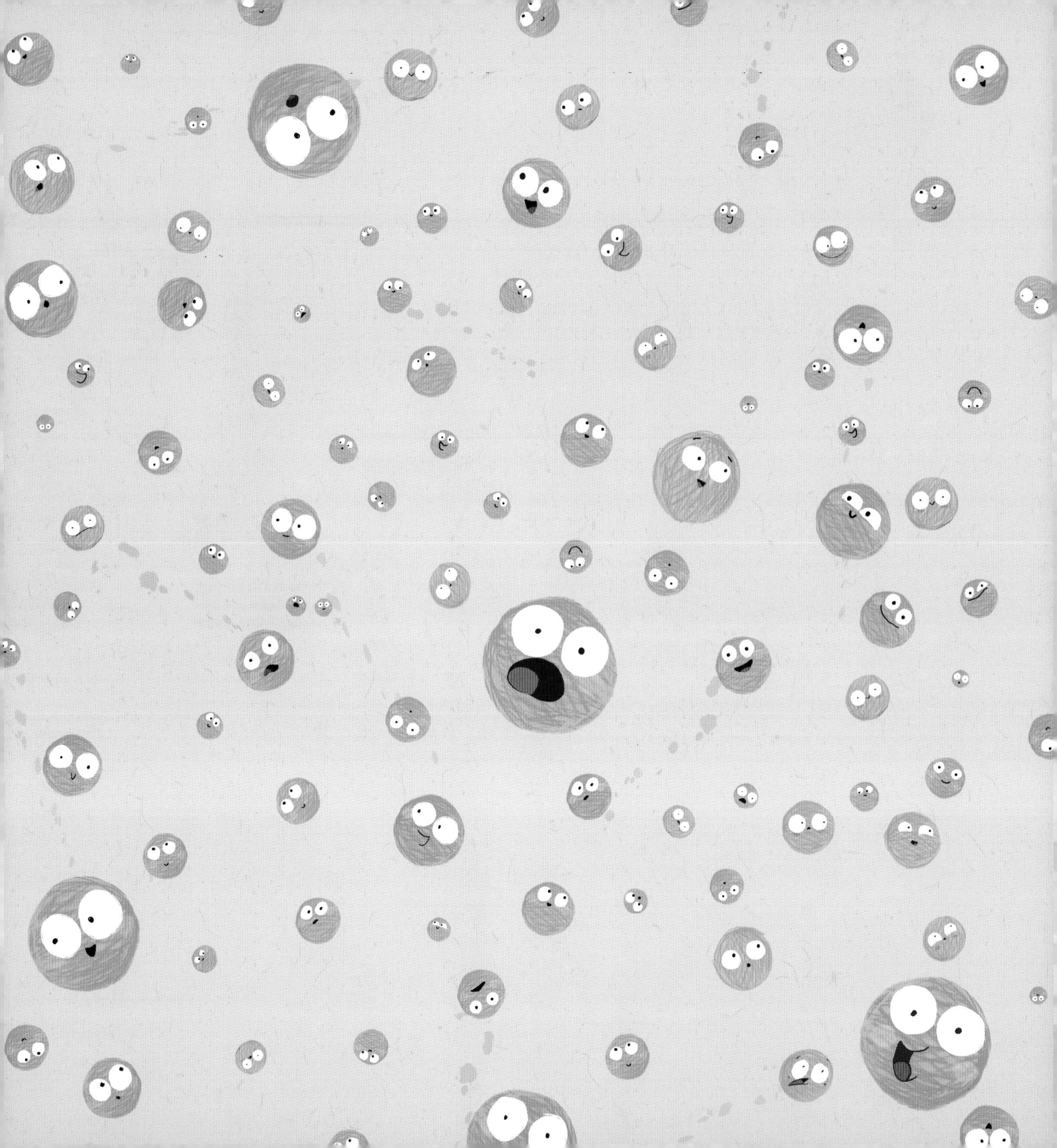

AN DEIREADH
(Cha do dh'fhuiling peasraichean sam bith ri linn an leabhar seo fhoillseachadh.)